MÉNINGES
EN
CONSTRUCTION

300 QUESTIO
POUR DÉFIER VO
QI !

Les Éditions
Coup d'oeil

Dépôt légal : 1er trimestre 2009
Bibliothèque et Archives nationales du Québec
Bibliothèque nationale du Canada

Couverture et mise en pages : Marie-Claude Parenteau

© Éditions Coup d'œil, 2009

Imprimé au Canada

ISBN : 978-2-89638-499-0

Table des matières

Introduction

Test

Réponses

Introduction

Bien qu'il soit difficile de définir l'intelligence – il n'existe en effet aucune définition formelle –, il existe néanmoins une définition pertinente et appropriée: la capacité d'apprendre et de comprendre.

Parmi les différentes méthodes visant à mesurer l'intelligence, la plus connue est le test de QI (quotient intellectuel). Ce dernier est un test normalisé conçu pour mesurer l'intelligence humaine en la distinguant des accomplissements.

Le quotient intellectuel est une mesure d'intelligence basée sur le rapport entre l'âge mental obtenu dans le test et l'âge réel multiplié par 100. Le mot «quotient» signifie le résultat de la division d'une quantité par une autre, et l'une des définitions de l'intelligence correspond à la capacité mentale ou la rapidité d'esprit.

Les tests de QI consistent habituellement à des séries de tâches classifiées. Chacune d'elles est standardisée en fonction d'un vaste échantillon de la population de façon à établir une moyenne de QI de 100 pour chaque test.

Il est généralement reconnu que l'âge mental d'un individu est en constant développement jusqu'à l'âge d'environ 13 ans, et que dès lors, le développement ralentit. Après l'âge de 18 ans, peu ou aucun progrès ne sont signalés. Lorsque le QI d'un enfant est mesuré, ce dernier est confronté à un test standardisé dont le résultat moyen enregistré est établi pour chaque groupe d'âge. Par exemple, si un enfant de 10 ans obtient le résultat attendu par un enfant de 12 ans, il possède un QI de 120, ou de 12/10 x 100. Puisque peu ou aucun progrès ne sont signalés après l'âge de 18 ans, les adultes doivent être jugés en fonction d'un test de QI dont le résultat moyen est établi à 100, et les résultats obtenus qui sont inférieurs ou supérieurs à cette norme sont établis en fonction de résultats de tests connus.

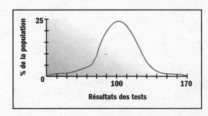

Comme on peut souvent le remarquer dans le cas des répartitions, la répartition du QI forme une courbe en forme de cloche plutôt constante. On peut également observer des proportions similaires en dessous et au-dessus de la moyenne du QI établie à 100.

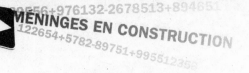
Bien qu'il soit supposément impossible d'augmenter son QI à l'âge adulte, il est paradoxalement possible d'améliorer les résultats obtenus dans les tests de QI en pratiquant les différents types de questions et en apprenant à reconnaître les termes récurrents. À force de faire des tests de QI et de sensibiliser votre cerveau à reconnaître les différents types de questions proposées, il est possible d'augmenter votre QI de plusieurs points de pourcentage.

Les tests de QI sont conçus et utilisés en supposant que lorsque vous passez le test, vous n'êtes pas du tout familiarisé avec les disciplines de tests et que vous n'êtes pas vraiment habitué aux types de questions utilisées dans les tests. Ainsi, si vous vous familiarisez avec les méthodes de tests et avec l'approche utilisée pour les différents types de questions, vous pourrez améliorer vos résultats de tests.

Il est aussi important de mentionner que bien que les tests de QI permettent de mesurer une variété d'habiletés comme les aptitudes verbales, mathématiques, spatiales et les aptitudes de raisonnement, on reconnaît de plus en plus l'existence de différents types d'intelligence. Ceci étant dit, bien qu'une valeur de QI élevée soit souhaitable, cette dernière n'est pas synonyme de succès dans la vie. Des habiletés artistiques exceptionnelles, un savoir-faire créatif ou pratique, et des qualités personnelles liées à l'ambition, à la confiance et à la compassion permettront également à un individu de connaître du succès dans la vie, et ce, malgré un QI peu élevé.

Au cours des 25 ou 30 dernières années, les tests de QI ont néanmoins connu un essor au sein des compagnies. En plus des tests de profils de personnalités, les employeurs se sont beaucoup fiés aux tests de QI pour s'assurer d'embaucher les bons candidats. L'une des principales raisons expliquant cette pratique est le coût élevé des erreurs commises dans le milieu du travail actuel et les contraintes liées aux budgets limités et aux marges de profit réduites. Pour recruter un nouveau membre de personnel dans une compagnie, l'employeur doit passer une annonce, étudier chaque demande d'emploi, réduire la liste de candidats le plus possible, faire passer des entrevues et donner une formation au demandeur embauché. Si l'employeur fait un mauvais choix, on doit recommencer ce processus dispendieux.

En plus de vous aider à vous familiariser aux types de questions que vous risquez de rencontrer, les épreuves et les jeux de QI peuvent aussi aider le cerveau à pousser ses limites et à se surpasser.

Tout comme les gymnastes qui doivent s'entraîner d'arrache-pied pour s'améliorer et augmenter leurs chances de réussite, les tests et les jeux de QI prouvent procurer une gymnastique mentale pour renforcer les connexions entre les cellules cérébrales, et ainsi augmenter le potentiel du cerveau.

Les tests qui suivent n'ont pas été standardisés. Il est donc impossible de faire une évaluation précise du QI Vous trouverez toutefois une grille des résultats à la fin de chaque test ainsi qu'un guide cumulatif de votre rendement général pour les six tests. Chaque test comporte 50 questions.

Vous disposez d'un maximum de 120 minutes pour compléter chaque test. Les réponses et les explications sont fournies, et vous devez vous attribuer un point pour chaque bonne réponse obtenue.

Vous pouvez utiliser une calculatrice pour vous aider à résoudre les questions à caractère numérique.

Utilisez les tableaux suivants pour évaluer votre performance.

Un test:

Résultat	Classement
44-50	Exceptionnel
38-43	Excellent
30-37	Très bon
26-29	Bon
21-25	Haute moyenne
16-20	Moyenne
10-15	Basse moyenne

Plusieurs questions posées dans les tests ont été conçues pour relever des défis intellectuels qui vous amèneront à vous surpasser puisqu'il s'agit de la seule façon de stimuler votre potentiel cérébral.

Ces tests sont avant tout conçus pour vous divertir. Il en revient toutefois à vous de décider de l'usage que vous ferez de ce livre. Vous pouvez tester votre performance en comptant les minutes ou vous plonger au hasard dans le livre et essayer de résoudre l'une des 300 questions qui attire le plus votre attention.

Quel est l'intrus?

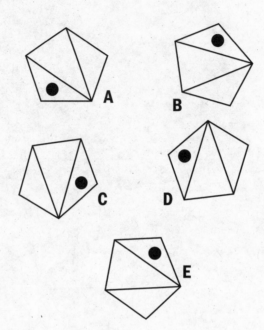

Quels sont les deux mots qui ont le sens le plus opposé?

chariot, arrière, pont, proue, remorque, poupe

8

Complétez l'analogie suivante :

Voix est à parole ce que _____ est au toucher.

formes, main, sensation, ongles, douceur

TEST
1
QUESTION
3

**Dans 12 ans, la somme de l'âge de mes trois sœurs
et de mon frère sera de 96.**

Quelle sera la somme de leurs âges dans 5 ans ?

TEST
1
QUESTION
4

9

Chaque carré contient des lettres formant un mot de neuf lettres.

Trouvez les deux mots qui sont synonymes.

P	E	R		
O	E	M		
R	T	I	E	B
	R	U	E	
	O	R	F	

Trois groupes de lettres ci-dessous peuvent être réunis pour former un mot de neuf lettres signifiant «persévérer». Trouvez ce mot.

orm, ont, ter, ler, tri, sis, mar, lin, per

Quel nombre doit logiquement remplacer le point d'interrogation?

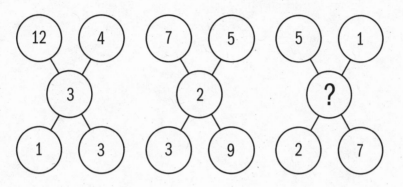

TEST
1
QUESTION
7

Remettez les carreaux dans l'ordre de façon à ce que les lettres adjacentes forment des mots de deux lettres et d'obtenir une expression de deux mots en procédant dans le sens des aiguilles d'une montre le long de la bordure extérieure.

TEST
1
QUESTION
8

	A		H		C	
O	P	A	D	N	S	
	E		S		I	
	L		I		E	
O	O	U	O	L	J	
	T		N		E	
	T		U		I	
N	E	E	A	E	M	
	A		U		M	

	I	
		U

Combien de minutes manque-t-il avant midi s'il y a
48 minutes, il s'était écoulé deux fois ce nombre de
minutes après 10 h?

Quel nombre prolonge logiquement la série?

9, 14, 24, 39, 59, 84, ?

Quels nombres doivent logiquement remplacer les points d'interrogation?

14	?	59

13	27	55

?	?	95

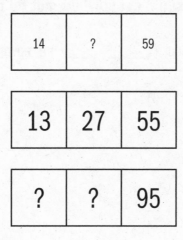

Quel jour vient deux jours après le jour qui vient trois jours avant le jour qui vient deux jours après mercredi?

DIMANCHE
LUNDI
MARDI
MERCREDI
JEUDI
VENDREDI
SAMEDI

13

**TEST
1
QUESTION
13**

Quel mot peut être placé entre les parenthèses pour former une première expression lorsqu'il est précédé du mot de gauche et pour former une deuxième expression lorsqu'il est suivi du mot de droite?

Sous (_____) d'œuvre

**TEST
1
QUESTION
14**

14

Quels nombres doivent logiquement remplacer les points d'interrogation?

37	48	?
64	67	35
27	19	20
84	72	?
57	53	62

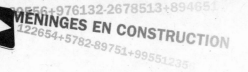

Quel prénom se cache sous ces trois anagrammes?

Romain Manoir Minora

**Ajoutez une lettre, qui ne soit pas nécessairement
la même, à chacun des trois ensembles
de lettres ci-dessous pour former trois mots
ayant le même sens.**

FOT DDU GRS

Quel nombre doit logiquement remplacer le point d'interrogation?

7	1	9
9	5	5
6	8	4

6	2	9
8	7	5
3	5	8

1	2	4
7	9	7
8	7	?

Les mots ci-dessous suivent une progression logique.

agrafe, bibliothèque, accommodement, addition, écriture

Quel mot prolonge logiquement la série?

comme, prouesse, effort, zigzag, animal

Commencez par l'une des lettres situées aux quatre coins, puis effectuez une spirale le long de la bordure extérieure en terminant par la lettre située au centre pour trouver un mot de neuf lettres. Vous devez fournir les lettres manquantes.

R		U
V	L	I
	H	

Qu'est-ce qu'un moratoire?

a) Un sursis ou un délai
b) Une collection d'archives
c) Un donjon
d) Un type de structure
e) Un engagement militaire

Lequel des mots situés entre parenthèses possède le sens le plus opposé au mot inscrit en lettres majuscules ?

PIQUANT

(lent, aigre, placide, fade, corsé)

Quel nombre doit logiquement remplacer le point d'interrogation ?

3	4
5	1
1	7

2	9
7	?
4	8

5	6
9	5
3	9

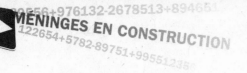

Combien de lignes y a-t-il ci-dessous?

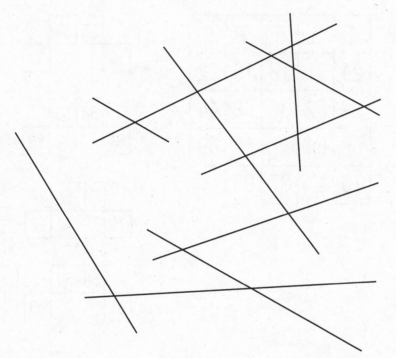

Quels nombres prolongent logiquement la série?

5, 10, 12, 24, 26, 52, 54, ?, ?

TEST 1 QUESTION 25

Quelle est la section manquante?

1	3	5	7	9
24	21	18	15	12
28	32	36	40	44
69	64			49
75		87	93	

A)
	58	54	
79			97

B)
	58	53	
81			99

C)
	58	53	
79			97

D)
	59	54	
81			99

TEST 1 QUESTION 26

Vétuste est à décrépit ce qu'éculé est à:

banal, rabattu, évident, commun, simplifié.

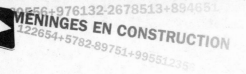
Lequel des mots entre parenthèses possède le sens le plus proche du mot inscrit en lettres majuscules?

PÉNURIE
(carence, abdomen, imperfection, interlude, brièveté)

TEST 1
QUESTION 27

Un seul des groupes de lettres ci-dessous peut être remis dans l'ordre pour former un mot de cinq lettres existant dans la langue française.
Quel est ce mot?

YTXIG   HWIHC   UPUYC
ABMJU   UTNLI

TEST 1
QUESTION 28

21

TEST 1 QUESTION 29

Quel nombre doit logiquement remplacer le point d'interrogation?

15		26	
	11		
17		13	

53		19	
	24		
32		16	

29		15	
	?		
11		12	

22

TEST 1 QUESTION 30

Quelle phrase est écrite correctement?

a) Il a beaucoup d'expérience et sais comment faire un budget.
b) Il a beaucoup d'expérience et sait comment faire un budjet.
c) Il a beaucoup d'expérience et sait comment faire un budget.
d) Il a beaucoup d'expérience et sais comment faire un budjet.

Trouvez le point de départ, puis déplacez-vous horizontalement ou verticalement de lettre en lettre jusqu'à ce que vous trouviez un mot de douze lettres. Vous devez inscrire les lettres manquantes.

	O	N	N
T	D	I	A
C	I	R	

Trouvez les deux antonymes en lisant l'un des cercles dans le sens des aiguilles d'une montre et en lisant l'autre cercle dans le sens contraire des aiguilles d'une montre. Vous devez trouver le point de départ et inscrire les lettres manquantes.

23

TEST 1 QUESTION 33

Lors d'une livraison d'œufs, 266 œufs ont éclos, ce qui représente 14 % du nombre total d'œufs. Combien d'œufs sont livrés au total ?

TEST 1 QUESTION 34

Quel groupe de quatre lettres vient ensuite ?

ABDC, FGIH, KLMN, ?

MÉNINGES EN CONSTRUCTION

Quel est l'intrus?

loi, précepte, principe, président, règle

Quel mot de trois lettres peut être placé au centre pour finir le mot de gauche et commencer celui de droite?

Mai   net

_____

Sai   ger

TEST
1
QUESTION
35

TEST
1
QUESTION
36

25

TEST 1 QUESTION 37

Trouvez ces mots.

SUR CE LASER est une anagramme de deux antonymes.

TEST 1 QUESTION 38

Quels nombres doivent logiquement remplacer les points d'interrogation?

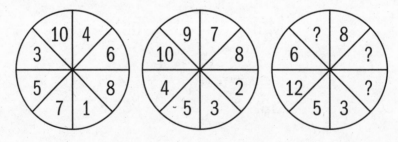

Quelle suite de figures prolonge logiquement la série?

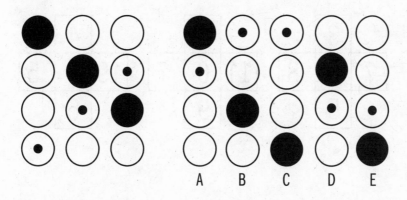

A B C D E

TEST 1 QUESTION 39

Quel est l'intrus?

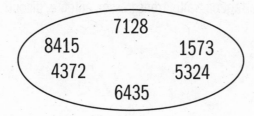

7128
8415   1573
4372   5324
6435

TEST 1 QUESTION 40

27

TEST 1 QUESTION 41

Quel nombre doit logiquement remplacer le point d'interrogation ?

	3	
7	5	8
	5	

	2	
11	6	7
	9	

	4	
19	?	5
	6	

TEST 1 QUESTION 42

Dénoncer est à révoquer ce qu'enfreindre est à :

attaquer, traité, transgresser, entente, dispute

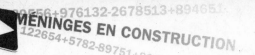
Quel carreau complète correctement l'équation?

| 4 | 8 | / | 6 | = | 1 | 9 | ? | / | 2 | 4 |

| 0 | 2 | 4 | 6 | 8 |
| A | B | C | D | E |

Quels sont les deux mots qui ont le sens le plus opposé?

DEXTÉRITÉ
(entêtement, maladresse, insolence, gaucher, hésitation)

TEST 1 QUESTION 43

TEST 1 QUESTION 44

29

Trouvez ces mots.

CHINE est une anagramme de NICHE et CHIEN,
deux mots reliés par le sens.
RÈGLE est une anagramme de deux mots reliés par le sens.

30

Combien de minutes manque-t-il avant midi s'il y a 40 minutes, il s'était écoulé quatre fois ce nombre de minutes après 10 h?

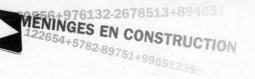
Quel nombre prolonge logiquement la série?

1000, 981, 965, 946, 930, ?

CONTIENDRA est une anagramme de quel mot de dix lettres?

TEST
1
QUESTION
47

TEST
1
QUESTION
48

31

TEST 1 QUESTION 49

Que veut dire le mot grégaire?

a) fâché   b) satisfait   c) faim   d) sociable   e) large

TEST 1 QUESTION 50

Quel est le pentagone manquant?

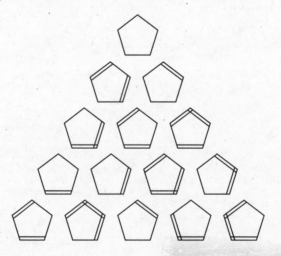

**Si 2935 est à 514 et 6274 est à 136,
alors 7649 est à?**

**Lequel des mots entre parenthèses possède le sens
le plus proche du mot inscrit en lettres majuscules?**

MACHIAVÉLIQUE
(sournois, méchant, perfide, sadique, excessif)

Quel est l'intrus ?

hypothétique, aléatoire, possibilité, fait, potentialité

Quel nombre doit logiquement remplacer le point d'interrogation ?

58	62	17
39	45	86
21	73	?

89556+976132-2678513+89465
122654+5782-89751

TEST 2 QUESTION 5

Voici quatre représentations du même dé. Dessinez la surface manquante sur la dernière image.

TEST 2 QUESTION 6

Complétez les mots de six lettres de façon à ce que le deuxième mot commence avec les deux dernières lettres du premier mot et que le troisième mot commence avec les deux dernières lettres du deuxième mot, etc. Le sixième mot se termine aussi avec les deux premières lettres du premier mot pour compléter le cercle. Vous pouvez ajouter des accents.

```
**ab**
**tt**
**mi**
**an**
**pa**
**si**
```

Lequel des mots entre parenthèses possède le sens le plus opposé au mot inscrit en lettres majuscules ?

EMBROUILLER
(perturber, confondre, enchevêtrer, épurer, amalgamer)

TEST 2 QUESTION 7

37

Quelles lettres doivent logiquement remplacer les points d'interrogation ?

A   CD   FGH   ????   OPQRS   UVWXYZ

TEST 2 QUESTION 8

Quels sont les deux mots les plus reliés par le sens?

politique, maxime, domaine, adage, sommet, statut

**Voici une expression bien connue de la langue française. La première lettre de chaque mot et les espaces ont été supprimés.
Quelle est cette expression?**

EMETTREESENDULESAEURE

Acrobatie est à folâtrerie ce qu'artifice est à :
aventure, évasion, ruse, piège, fraude ?

TEST
2
QUESTION
11

TEST
2
QUESTION
12

39

Complétez l'analogie suivante :

Chapitre est à livre ce que _____ est à pièce de théâtre.
scène, acte, acteur, parole, drame

Combien de minutes manque-t-il avant midi s'il y a 5 minutes, il s'était écoulé quatre fois ce nombre de minutes après 10 h?

40

MASSACRE est une anagramme de quel mot de huit lettres?

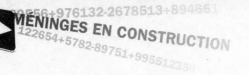

**Quels sont les trois nombres qui prolongent
logiquement la série?**

123, 125, 127, 129, 131, 134, 137, 140, 144, ?, ?, ?

**Résolvez les anagrammes pour trouver
un proverbe connu.**

_ _ _ _ _   _ _   _ _ _ _ _
REPOS NUL PAIN (5, 2, 5)

41

89556+976132-2678513+8946551
122654+5782-89751

Quels sont les deux mots qui ont le sens le plus opposé?

Empiéter, impliquer, révérer, exceller, exclure, arracher

42

 est à :

est à

ce que

A   B   C   D   E

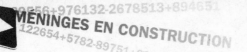

MÉNINGES EN CONSTRUCTION

Quel nombre prolonge logiquement la série?

12, 18, 30, 36, 48, ?

TEST
2
QUESTION
19

Une lettre a été modifiée dans chacun des mots ci-dessous. Trouvez le proverbe connu qui s'y cache.

Que sort dune

TEST
2
QUESTION
20

TEST 2 QUESTION 21

Démêlez les lettres pour trouver un mot de dix lettres.

YSMREEXTIU

44

TEST 2 QUESTION 22

Quels sont les deux mots qui ont le sens le plus opposé?

posé, électrisant, clair, ennuyeux, silencieux, habile

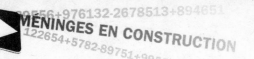

Quel nombre prolonge logiquement la série ?

1, 7,75, 14,5, 21,25, ?

Quel est l'intrus ?

circonférence, diamètre, rayon, hypoténuse, corde

TEST
2
QUESTION
23

45

TEST
2
QUESTION
24

TEST 2 QUESTION 25

Quels nombres doivent logiquement remplacer les points d'interrogation ?

8		4
11		17
9		7

3		6
?		?
7		8

TEST 2 QUESTION 26

Remettez les lettres dans l'ordre pour trouver six mots qui ont tous un lien avec la philosophie.

GOEMD

HEMSPOIS

EQHTIEU

SRLAVIETEMI

EMAORL

VEDIRO

Trois groupes de lettres ci-dessous peuvent être réunis pour former un mot de neuf lettres signifiant « regrouper ». Trouvez ce mot.

lea   uer   lin   ton   con   man   fna   rit   jug   ail

TEST 2 QUESTION 27

47

Quel mot peut être placé entre les parenthèses pour former une première expression lorsqu'il est précédé du mot de gauche et pour former une deuxième expression lorsqu'il est suivi du mot de droite ?

Homme (_____) Grillé

TEST 2 QUESTION 28

Trouvez quatre chiffres consécutifs dans cette liste qui forment un nombre pouvant être divisé de 1 à 10 inclusivement et donner des nombres entiers.

5871703982402520673580402 68

Commencez par l'une des lettres situées aux quatre coins, puis effectuez une spirale le long de la bordure extérieure en terminant par la lettre située au centre pour trouver un mot de neuf lettres.
Vous devez fournir les lettres manquantes.

D	R	A
E	N	
	N	O

Trouvez les deux synonymes en lisant l'un des cercles dans le sens des aiguilles d'une montre et en lisant l'autre cercle dans le sens contraire des aiguilles d'une montre.

Vous devez trouver le point de départ et inscrire les lettres manquantes.

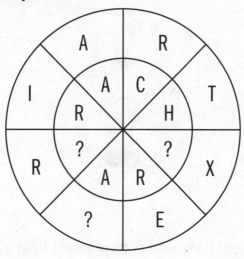

49

TEST 2 QUESTION 32

Quelle figure continue logiquement la série ?

A) 

B) 

C) 

D) 

TEST 2 QUESTION 33

Quel carreau complète correctement l'équation ?

7	x	2	5	9	0	=	7	4	x	2	?	5

2	4	6	8
A	B	C	D

Quelle lettre doit logiquement remplacer le point d'interrogation?

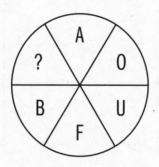

Chaque carré contient des lettres formant un mot de neuf lettres. Trouvez les deux mots qui sont synonymes.

U	X	A		
E	A	C		
D	U	I	T	R
		N	E	D
		I	E	P

51

Quels nombres doivent logiquement remplacer les points d'interrogation?

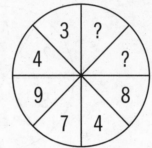

52

Trouvez le nom de l'animal de cinq lettres se cachant à la troisième ligne pour former verticalement cinq mots de quatre lettres.

G	F	C	A	D
A	L	A	N	E
A	N	E	S	T

Quelle est la section manquante ?

5		7	8
10	12		16
15		21	24
20		28	32

A
5	
	14
18	
23	

B
6	
	13
17	
23	

C
6	
	14
18	
24	

D
6	
	13
17	
24	

53

89556+976132-2678513+8946
122654+5782-89751

**TEST
2
QUESTION
39**

Trouvez le point de départ et procédez dans le sens des aiguilles d'une montre pour trouver cette expression bien connue. Une lettre sur deux est affichée.

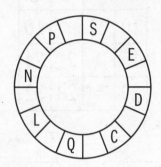

54

**TEST
2
QUESTION
40**

Lequel des mots entre parenthèses possède le sens le plus proche du mot inscrit en lettres majuscules?

SYNDROME
(maladie, faiblesse, symptôme, médecine, douleur)

Qu'est-ce qu'une fourragère ?

a) un fourre-tout

b) un établi

c) la graine de la fougère

d) un chariot à foin

e) une femme qui cultive les fougères

55

Dessinez le carré manquant dans la suite ci-dessus.

Quels sont les deux mots parmi les six ci-dessous qui ont le sens le plus opposé?

Vipérin, mécontentement, complémentaire,
complexe, désobligeant, différent

Je suis quatre fois plus âgé que mon frère, et dans deux ans, je serai trois fois plus âgé que lui. Dans combien d'années serai-je deux fois plus âgé que lui?

Dans le tableau ci-dessus, quelle est la différence entre le carré du nombre cubique le moins élevé et le cube du nombre carré le moins élevé?

36	2	8	25
7	9	15	18
3	5	27	6
11	4	10	16

Laquelle de ces anagrammes n'est pas un État américain?

Écorniflai
Clonerai
Animé
Tangerine
Entamions

57

Sélectionnez les mots écrits correctement dans les choix ci-dessus pour compléter la phrase.

Lorsque Julie va au tableau pour résoudre _____(i),
elle demande l'aide de ses camarades, car elle a _____ (iii)
à faire des erreurs quand elle _____ (iii) des équations.

(i)   l'addition, l'adition
(ii) tendence, tendance
(iii) résoud, résout

Quels sont les deux mots les plus reliés par le sens ?

Salutaire, livide, bénéfique, béat, acerbe, convaincu

Quelle cible a atteint 220 points?

TEST 2 QUESTION 49

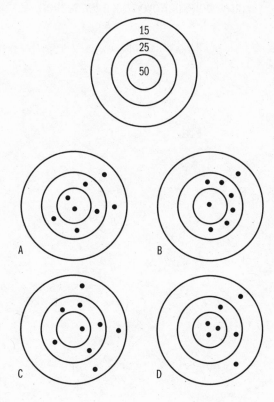

59

TEST 2 QUESTION 50

Quel mot est l'antonyme d'astiquer?

cirer, polir, nettoyer, décoller, tacher

Lorsque vous pliez la figure ci-dessus, quel est le seul cube qui ne peut pas être produit?

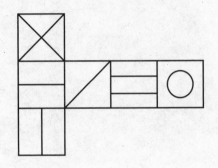

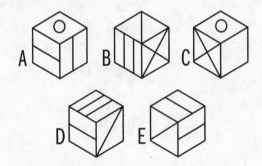

Quelle est la section manquante ?

100	85	89	74
104	89		78
89	74	78	
93	78	82	

TEST 3 QUESTION 2

A
91
	63
	69

B
91
	61
	67

C
93
	61
	69

D
93
	63
	67

TEST 3 QUESTION 3

**Aviculteur est à oiseau ce que bombiculteur est aux :
mouches, bourdons, cochons, cigales ?**

TEST 3 QUESTION 4

**Quel nombre doit logiquement remplacer le point
d'interrogation ?**

9	6	3	2
7	5	8	3
3	2	5	4
5	?	4	9

Lequel des mots entre parenthèses possède le sens le plus proche du mot inscrit en lettres majuscules?

ÉRADIQUER
(syndiquer, apparaître, imposer, éliminer, prescrire)

Complétez l'analogie suivante :

Charpentier est à bois ce que _____ est à argile.
(artiste, horticulteur, céramique, potier, menuisier)

65

Voici une expression bien connue de la langue française. La première lettre de chaque mot et les espaces ont été supprimés. Quelle est cette expression?

OUERVECEEU

Si A = 2, B = 4, C = 6, D = 7 et E = 8, quel est le signe mathématique manquant?

$$\frac{(D \times B) \; ? \; E = (D \times E) + [(B \times C) - E]}{A}$$

Choisissez un mot dans la liste du bas qui peut être accompagné par le même préfixe que les trois mots de la liste du haut pour former de nouveaux mots.

Train	Drome	Phobie

Dégradable	Dynamique	Titre	Dynamique	Masseur

67

Quel nombre doit logiquement remplacer le point d'interrogation?

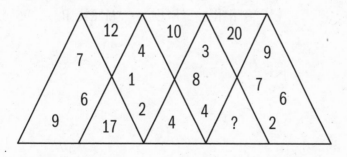

TEST 3
QUESTION 11

ÊTRE PUNI est une anagramme de quel mot de huit lettres?

TEST 3
QUESTION 12

Trouvez les lettres manquantes pour former trois mots ayant le même sens.

*E*C*O*R*R   *R*E*   *M*E*L*R

Dans la suite de chiffres ci-dessus, quelle est la somme de tous les nombres pairs qui sont immédiatement suivis par un nombre impair?

68493274867942163

Une lettre a été modifiée dans chacun des mots ci-dessous. Trouvez le proverbe connu qui s'y cache.

Venir la mangue

69

Démêlez les lettres pour trouver un mot de dix lettres.

ELPNATHCTE

Commencez par l'une des lettres situées aux quatre coins, puis effectuez une spirale le long de la bordure extérieure en terminant par la lettre située au centre pour trouver un mot de neuf lettres. Vous devez fournir les lettres manquantes.

E		U
R	E	E
		N

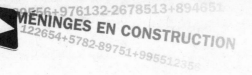

Lequel des mots situés entre parenthèses possède le sens le plus opposé au mot inscrit en lettres majuscules ?

CRÉDULE
(entêté, innocent, ingénu, opiniâtre, défiant)

Commencez par le carré supérieur gauche, puis avancez lettre par lettre à l'horizontale, à la verticale ou en diagonale pour trouver une expression connue (de 5 lettres, 5 lettres et 6 lettres). La dernière lettre ce trouve dans le carré inférieur droit.

F	A	I	G
E	R	I	U
B	O	R	F
N	N	E	E

TEST 3 QUESTION 19

Ajoutez les lettres ci-dessous dans la grille pour former quatre mots ayant le même sens.

AEEGIIILMMNOOPRRSU

A	?	?	L	?	F	?	?	R
?								
G	R	?	?	S	?	?		
?								
E								
?								
T								
?								
R	?	L	?	?	N	?	E	?

Jeanne est quatre fois plus âgée que Jean, mais dans six ans, elle ne sera que deux fois plus âgée que lui. Quel âge ont-ils en ce moment?

TEST 3 QUESTION 20

73

Quels sont les deux mots parmi les six ci-dessous qui ont le sens le plus opposé?

pragmatique, opportuniste, cohérent,
asservi, laconique, malvenu

TEST 3 QUESTION 21

Quelle phrase est écrite correctement?

a) Il ne s'est pas réveiller ce matin lorsque le cadran a sonné.
b) Il ne c'est pas réveillé ce matin lorsque le cadran a sonné.
c) Il ne c'est pas réveiller ce matin lorsque le cadran a sonné.
d) Il ne s'est pas réveillé ce matin lorsque le cadran a sonné.

Quel nombre doit logiquement remplacer le point d'interrogation?

3847	(85153)	6291
6173	(13474)	2846
2117	(?)	1695

Complétez l'analogie suivante.

Troisième est à ordinal ce que trois est à _____ .
(capital, principal, cardinal, nominal, féodal)

TEST
3
QUESTION
24

Dessinez le carré manquant dans la suite ci-dessus.

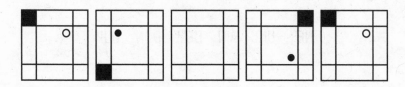

TEST
3
QUESTION
25

75

MARE MONDIALE est une anagramme de deux mots reliés par le sens.
Trouvez ces deux mots de quatre et huit lettres.

Indice : citron

Sans changer l'ordre des lettres, placez les groupes de trois lettres en ordre de façon à former une expression connue de cinq mots.

NER   UNC   AIN   DEM   DON   OUP

Quel nombre doit logiquement remplacer le point d'interrogation?

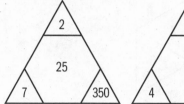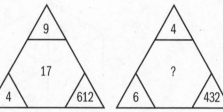

TEST
3
QUESTION
28

Trouvez le nom du personnage de la mythologie grecque se cachant dans la dernière rangée pour former verticalement neuf mots de trois lettres.

TEST
3
QUESTION
29

N	F	G	D	B	S	E	P	A
O	O	I	U	U	K	M	U	G
*	*	*	*	*	*	*	*	*

TEST 3 QUESTION 30

Quels nombres doivent logiquement remplacer les points d'interrogation?

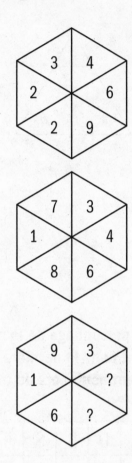

Trouvez les deux synonymes en lisant l'un des cercles dans le sens des aiguilles d'une montre et en lisant l'autre cercle dans le sens contraire des aiguilles d'une montre. Vous devez trouver le point de départ et inscrire les lettres manquantes.

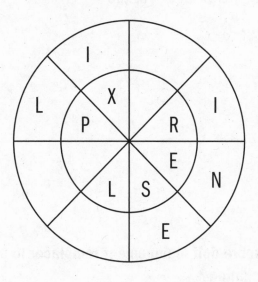

Si 9 V d'un C veut dire Neuf Vies d'un Chat, que veut dire la formule suivante ?

Les 4 S de l'A

Un seul des groupes de lettres ci-dessous peut être remis dans l'ordre pour former un mot de six lettres existant dans la langue française. Quel est ce mot?

KEIBNY   POTFSC   RNREDA

ERVXRE   BEJCTO

Quel nombre doit logiquement remplacer le point d'interrogation?

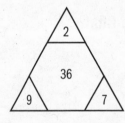
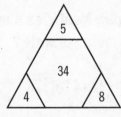
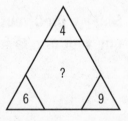

Triangle 1: 2, 36, 9, 7

Triangle 2: 5, 34, 4, 8

Triangle 3: 4, ?, 6, 9

0656+976132-2678513+894651
122654+5782-89751+995512356

Quel mot peut être placé entre les parenthèses pour former une première expression lorsqu'il est précédé du mot de gauche et pour former une deuxième expression lorsqu'il est suivi du mot de droite?

Grille (_____) Doré

TEST
3
QUESTION
35

81

Les mots de la ligne du haut ont tous un point commun. Lequel des mots de la ligne du bas possède la même caractéristique?

FIER   MIEN   BAIE   GRIS
mont, pois, juge, faim, bond

TEST
3
QUESTION
36

**TEST
3
QUESTION
37**

REJET PLONGÉE est une anagramme d'une expression bien connue de deux mots de cinq et sept lettres. Trouvez cette anagramme.

Indice : Abandonner

**TEST
3
QUESTION
38**

Quels sont les deux nombres qui prolongent logiquement la série ?

100, 1, 99, 2, 96, 5, 91, 10, ?, ?

Quel est l'intrus?

détaché, pointilleux, badin, désinvolte, insouciant

Quel nombre doit logiquement remplacer le point d'interrogation?

	2	
4	8	12

	3	
5	15	20

	?	
4	24	28

89556+976132-2678513+89465

122654+5782-89751+9

Quels sont les deux mots les plus reliés par le sens?

grave, propice, fallacieux, impassible, menaçant, frénétique

Quel carreau complète correctement l'équation?

| 3 | ? | x | 5 | = | 8,25 | x | 2 | 0 |

1	3	5	7	9
A	B	C	D	E

Quels nombres doivent logiquement remplacer
les points d'interrogation ?

1	17	9	?	17	5	25
20	5	14	?	8	21	2

85

Quelle figure continue logiquement la série ?

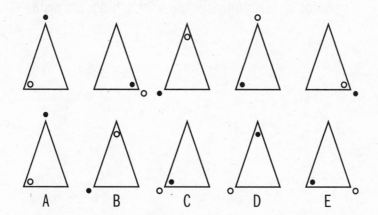

A   B   C   D   E

89556+976132-2678513+894650
122654+5782-89751+

TEST 3 QUESTION 45

Quels sont les deux mots qui ont le sens le plus opposé?

indifférent, animé, triste, nerveux, envieux, susceptible

86

TEST 3 QUESTION 46

Quels sont les deux mots les plus reliés par le sens?

évident, intérieur, ultérieur, essentiel, subséquent, motif

Quel est l'âge d'Alice si dans deux ans, elle sera deux fois plus âgée qu'il y a cinq ans?

Quels sont les deux mots qui ont le sens le plus opposé?

ennuyeux, enjoué, grincheux, compétitif, inquiet, morose

89556+976132-2678513+89465
122654+5782-89751

TEST 3 QUESTION 49

Si une voiture prend autant de temps à parcourir 60 miles qu'une autre voiture à parcourir 90 miles, mais que cette deuxième voiture avance à 20 mi/h plus vite que la première, combien de temps dure le voyage?

TEST 3 QUESTION 50

Quel est l'intrus?

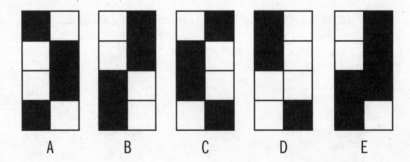

A   B   C   D   E

TEST 4 QUESTION 1

Quelle suite de figures est l'intrus?

1. ⊕ ◗ ❤ ☺ ★ ◉ ▲ ●

2. ❤ ◗ ⊕ ● ▲ ◉ ★ ☺

3. ☺ ★ ◉ ▲ ● ⊕ ◗ ❤

4. ● ⊕ ◗ ❤ ☺ ★ ◉ ▲

TEST 4 QUESTION 2

Quel nombre est l'intrus?

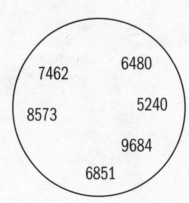

7462   6480

8573   5240

9684

6851

Lequel des mots entre parenthèses possède le sens le plus proche du mot inscrit en lettres majuscules ?

IMMOBILE
(léthargique, stationnaire, serein, flegmatique, détaché)

TEST
4
QUESTION
3

91

Quelle est la deuxième lettre à droite de la lettre qui est immédiatement à gauche de la troisième lettre à droite de la lettre B ?

A B C D E F G

TEST
4
QUESTION
4

Dans la suite de chiffres ci-dessus, quelle est la somme de tous les nombres pairs qui sont immédiatement suivis par un nombre impair?

627938156721954681

Trouvez l'homographe qui correspond aux définitions à droite et à gauche des parenthèses.

Dessert à base de blancs d'œufs ou
de crème fouettée (_____) Jeune marin

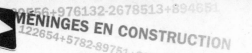
Quel nombre est l'intrus?

3928	5286	4796
3854	7856	9592
7708		

TEST 4
QUESTION 7

Utilisez une fois chaque lettre formant la phrase CE BATEAU LOCAL BERCERA pour trouver trois mots reliés au cirque.

TEST 4
QUESTION 8

TEST 4 QUESTION 9

Quels sont les deux mots les plus reliés par le sens?

logique, éphémère, bref, placide, immortel, précis

94

TEST 4 QUESTION 10

Trouvez le point de départ, puis déplacez-vous horizontalement ou verticalement de lettre en lettre jusqu'à ce que vous trouviez un mot de douze lettres. Vous devez inscrire les lettres manquantes.

R	A	A
T	V	A	N
E	G	A

Quel nombre ci-dessous complète correctement l'équation?

| 4,5 | x | 2,5 | = | ? | / | 6 |

| 72,5 | 67,5 | 65,5 | 62,5 | 57,5 |
| A | B | C | D | E |

95

Trouvez les deux synonymes de huit lettres en procédant dans le sens des aiguilles d'une montre. Chaque mot débute dans un cercle différent et utilise une lettre dans chaque cercle. Les lettres des deux mots se trouvent toutefois dans le bon ordre.

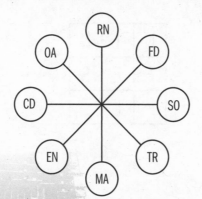

89556+976132-2678513+8946511

122654+5782-89751+9

TEST 4 QUESTION 13

Résolvez l'anagramme inscrite entre les parenthèses pour compléter une citation de Victor Hugo.

(Céramiste), la moitié de croire.

96

TEST 4 QUESTION 14

Commencez par l'une des lettres situées aux quatre coins, puis effectuez une spirale le long de la bordure extérieure en terminant par la lettre située au centre pour trouver un mot de neuf lettres. Vous devez fournir les lettres manquantes.

N	I	N
E	E	S
	L	

Quel nombre doit logiquement remplacer le point d'interrogation?

4	8
6	3

8	12
9	6

3	4
12	?

TEST
4
QUESTION
15

Quelle est la lettre qui peut être ajoutée à chacun des six mots ci-dessous pour former six nouveaux mots?

rame, font, aide, zone, abat, bave

TEST
4
QUESTION
16

97

Quel ensemble de nombres entretient la même relation que chacun des ensembles de nombres ci-dessous?

297 : 25   369 : 27   526 : 16

a) 276 : 25
b) 972 : 18
c) 392 : 25
d) 785 : 61
e) 431 : 11

Complétez l'analogie suivante :

Tireur est au tiré ce que _____ est au débiteur.
(client, consommateur, laitier, créancier, conjoint)

Quels sont les deux mots les plus reliés par le sens?

nonchalant, agressif, prompt, réplique, appui, preste

TEST
4
QUESTION
19

Combien de lignes y a-t-il ci-dessous?

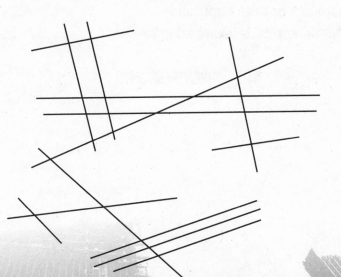

TEST
4
QUESTION
20

Quel mot doit être placé entre parenthèses?

main (aumônier) roue
idiot (_____) incarné

100

**Voici une expression bien connue de la langue française. La première lettre de chaque mot et les espaces ont été supprimés.
Quelle est cette expression?**

IRENTREESIGNES

90556+976132-2678513+894651
122654+5782-89751+99551235a

Quelle est la section manquante ?

TEST
4
QUESTION
23

2	4	1	3	5
5	1	4	2	3
4	2	3	5	1
1	2	5	4	2
3				4

5	1	2

A

5	2	1

B

2	5	1

C

2	1	5

D

101

Lequel des mots situés entre parenthèses
possède le sens le plus opposé au mot inscrit
en lettres majuscules?

FANTAISIE
(divagation, mythomanie, sérieux, mensonge, possible)

Ma sœur est âgée de moins de 75 ans.
Son âge est égal à six fois la somme des chiffres
de son âge. Il y a neuf ans, l'ordre des chiffres
de son âge était inversé.

Quel âge a ma sœur?

Quel nombre doit logiquement remplacer le point d'interrogation?

152	(2473)	719
613	(6331)	282
527	(?)	386

TEST 4 QUESTION 26

103

Quels sont les deux mots qui ont le sens le plus opposé?

prestigieux, frugal, minuscule, vorace, susceptible, acerbe

TEST 4 QUESTION 27

89556+976132-2678513+89465
122654+5782-89751

TEST
4
QUESTION
28

Envahir est à infester ce que submerger est à:

éclipser, inonder, voiler, surpasser, chevaucher.

TEST
4
QUESTION
29

Quel nombre prolonge logiquement la série?

32879, 46328, 79463, ?

90556+976132-2678513+894651
122654+5782-89751+99551235

Un seul des groupes de lettres ci-dessous peut être remis dans l'ordre pour former un mot de cinq lettres existant dans la langue française. Quel est ce mot?

HETIB   WCHIH   SIARD
LACKD   OSOGE

TEST 4 QUESTION 30

105

Que signifie le mot vitellus?

a) énergie
b) petite tôle
c) égo
d) jaune d'œuf
e) matériel extensible

TEST 4 QUESTION 31

TEST 4 QUESTION 32

Quel nombre doit logiquement remplacer le point d'interrogation?

19, 38, 57, ?, 95, 114

TEST 4 QUESTION 33

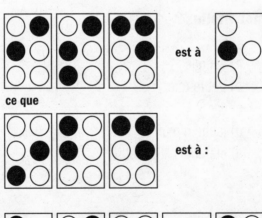

est à

ce que

est à :

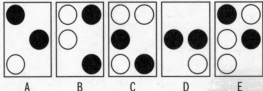

A   B   C   D   E

0556+976132-2678513+894651
122654+5782-89751+99551235

AVERSE GRAND AIR est une anagramme de deux mots reliés par le sens. Trouvez ces deux mots.

Indice: élargir

Quels sont les deux mots qui ont le sens le plus opposé?

massif, invisible, inconséquent, minime, faible, mûr

TEST 4 QUESTION 36

Quel est l'intrus?

optimiste, ravi, jubilant, réjoui, enchanté, joyeux

TEST 4 QUESTION 37

Si 1 T. V. M. Q. 2 T. L. = Un tiens vaut mieux que deux tu l'auras, que veut dire la formule suivante?

2 V. d'une M. H.

Quelles lettres continuent logiquement la série ?

AB   DE   HI   MN   ??

Réduisez 375/1000 à sa plus petite fraction.

Quel nombre doit logiquement remplacer le point d'interrogation?

1,75, 2, 2,5, ?, 4,25, 5,5, 7

110

Trouvez le point de départ, puis avancez lettre par lettre horizontalement, verticalement ou en diagonale pour trouver une expression connue (de 5 lettres, 7 lettres et 4 lettres). Utilisez une fois chaque lettre.

E	A	I		
C	R	F		
A	V	L	L	U
		A	I	E
		E	R	S

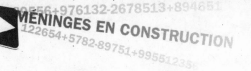
SERMON FATAL est une anagramme de quel animal (7 lettres et 4 lettres)?

TEST
4
QUESTION
42

111

Sans changer l'ordre des lettres, placez les groupes de trois lettres en ordre de façon à former une expression connue de trois mots.

HEA   ERE   REM   FAI   RRI   ARC

TEST
4
QUESTION
43

Quel nombre doit logiquement remplacer le point d'interrogation?

10, 11,5, 16, 19,5, ?, 191,5

Quel ensemble de nombres entretient la même relation que chacun des ensembles de nombres ci-dessous?

4896 : 1314   7497 : 1611   9538 : 1213

a) 3874 : 7015
b) 2988 : 1017
c) 3599 : 6129
d) 5946 : 1113
e) 7295 : 823

Formez un mot de six lettres en utilisant uniquement les quatre lettres ci-dessous aussi souvent que vous le désirez.

V   E   R   L

TEST
4
QUESTION
46

113

Quelles sont les deux lettres qui peuvent être insérées dans les mots ci-dessous pour former de nouveaux mots ? Les deux lettres doivent être placées l'une à la suite de l'autre dans les nouveaux mots formés.

MARE   CALE   UNIE   VASE

TEST
4
QUESTION
47

TEST 4 QUESTION 48

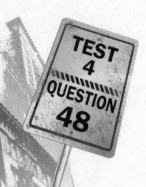

Quels nombres restants peuvent être reliés, et quel est le nombre intrus?

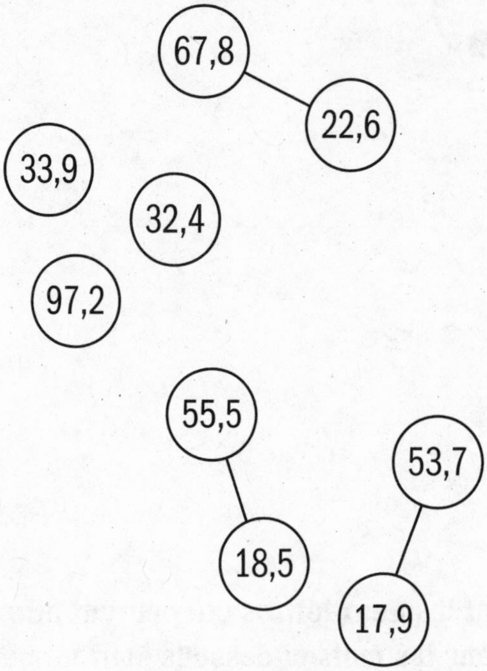

00556+976132-2678513+894651
122654+5782-89751+99551235

Formez un mot de treize lettres en vous déplaçant de lettre en lettre connectée, dans un sens comme dans l'autre.

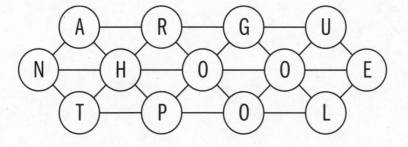

TEST 4 QUESTION 50

Quels sont les deux mots qui ont le sens le plus opposé?

réjouir, ajournement, rafraîchissant, fascinant, torride, sursis

Quel nombre doit logiquement remplacer le point d'interrogation?

129875, 57893, 39812, 21812, ?

Lequel des mots situés entre parenthèses possède le sens le plus opposé au mot inscrit en lettres majuscules?

CAPTIVANT
(facétieux, fastidieux, malheureux, médiocre, impassible)

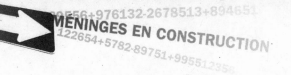
Lequel des mots entre parenthèses possède le sens le plus proche du mot inscrit en lettres majuscules?

ESSENCE

(nature, discours, fondation, organisme, excellence)

TEST
5
QUESTION
3

119

Un seul des groupes de lettres ci-dessous peut être remis dans l'ordre pour former un mot de six lettres existant dans la langue française. Quel est ce mot?

CITRPO   ENILAF   RASYTI
NILREC   XINTRA

TEST
5
QUESTION
4

89556+976132-2678513+8946
122654+5782-89751

TEST 5 QUESTION 5

Quel nombre doit logiquement remplacer le point d'interrogation?

1000, 903, 806, 709, 612, ?

TEST 5 QUESTION 6

Trouvez les deux synonymes de huit lettres en lisant l'un des cercles dans le sens des aiguilles d'une montre et en lisant l'autre cercle dans le sens contraire des aiguilles d'une montre. Vous devez trouver le point de départ et inscrire les lettres manquantes.

Premier cercle : ?, N, T, ?, H, A, R, M

Deuxième cercle : C, ?, N, A, ?, ?, O, H

Quels sont les deux mots les plus reliés par le sens ?

descendance, atterrissage, libération, languir, lignée, création

Complétez l'analogie suivante :

Pédicelle est à pédoncule ce que corolle est à :
étamine, morphine, épine, pétale, marguerite.

TEST 5 QUESTION 9

Une horloge en chiffres romains indique qu'il manque dix minutes avant l'heure. Placez les chiffres romains apparaissant ci-dessous dans l'ordre où ils apparaissent sur cette horloge si vous lisez dans le sens contraire des aiguilles d'une montre à partir de l'aiguille des minutes.

II XI VII IV

TEST 5 QUESTION 10

Quel est l'intrus?

suprême, divin, excellent, astral, céleste

Quel carreau complète correctement l'équation?

| 3 | 6 | 4 | x | 2 | = | 9 | ? | x | 8 |

| 1 | 2 | 3 | 5 | 7 |
| A | B | C | D | E |

TEST 5 QUESTION 11

123

Quelle est la lettre manquante?

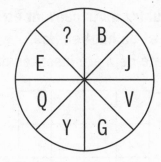

TEST 5 QUESTION 12

**TEST
5
QUESTION
13**

Saler est à sel ce que pétrifier est à:

peur, os, stupéfier, fantôme, pierre

**TEST
5
QUESTION
14**

**RUSE est une anagramme d'un mot de quatre
lettres. Trouvez cette anagramme, puis inscrivez-la
dans la grille suivante pour former un carré magique
où les mêmes quatre mots peuvent être lus de
gauche à droite et de haut en bas.
Des lettres ont été déjà été inscrites dans la grille.**

		E	
E			
	O		D

Quelle est la section manquante?

1	2	4	5
	4	6	7
4		7	8
6	7		10

A
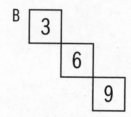

2
5
8

B

3
6
9

C

3
5
9

D

2
6
8

125

TEST 5 QUESTION 16

Quels nombres doivent logiquement remplacer les points d'interrogation ?

1, 1000, 48, 953, 95, 906, 142, ?, ?

TEST 5 QUESTION 17

Trois groupes de lettres ci-dessous peuvent être réunis pour former un mot de neuf lettres signifiant « étude ». Trouvez ce mot.

Ref	hyp	her	enq	che
ram	rec	tes	mor	rer

Ajoutez deux lettres dans chacune des parenthèses pour former un mot de quatre lettres lorsqu'elles suivent les deux lettres de gauche et pour former un autre mot de quatre lettres lorsqu'elles précèdent les deux lettres de droite.

VR (**) NE   GA (**) NS
ON (**) NT   BA (**) RS

127

Trouvez le mot de six lettres en procédant dans le sens des aiguilles d'une montre. Vous devez trouver le point de départ et inscrire la lettre manquante.

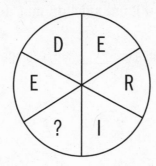

TEST 5 QUESTION 20

Quel nombre doit logiquement remplacer le point d'interrogation?

746832, 328647, 476823, ?

128

TEST 5 QUESTION 21

Quel mot peut être placé entre les parenthèses pour former une première expression lorsqu'il est précédé du mot de gauche et pour former une seconde expression lorsqu'il est suivi du mot de droite?

Tourne (_____) compact

89556+976132-2678513+8946
MÉNINGES EN CONSTRUCTION
122654+5782-89751

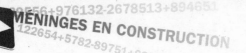
Quels sont les deux mots qui ont le sens le plus opposé ?

viril, facile, efficace, inutile, humble, incommodant

TEST
5
QUESTION
22

129

Quelle est la troisième lettre à gauche de la lettre qui est immédiatement à droite de la troisième lettre à droite de la lettre A ?

A   B   C   D   E   F   G   H

TEST
5
QUESTION
23

TEST 5 QUESTION 24

Quelle est la combinaison nombre/lettre manquante ?

5M   2N   6E   3I   1E

TEST 5 QUESTION 25

342961 est à 941236 ce que 729183 est à ?

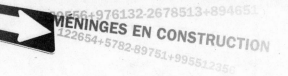

Résolvez l'anagramme entre parenthèses pour compléter une citation de Frédéric Beigbeder.

L'amour est fini quand il n'est plus possible
de (enivrer) en arrière.

Une lettre a été modifiée dans chacun des mots ci-dessous. Trouvez l'expression connue qui s'y cache.

Lettre partes sud tacle.

Quelle est la lettre manquante?

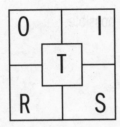 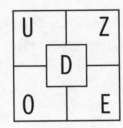 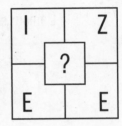

Quelle est la section manquante?

10	8	9	7
12	10	11	
11	9		8
13	11		10

	9
11	
13	

A

	10
11	
12	

B

	9
10	
12	

C

	10
10	
13	

D

Trouvez le point de départ, puis avancez lettre par lettre horizontalement, verticalement ou en diagonale pour trouver une expression connue (de 3 lettres, 2 lettres, 5 lettres, 4 lettres et 3 lettres).

Utilisez une fois chaque lettre.

F	U	M		
E	A	E		
S	D	P	E	S
		U	A	N
		E	F	S

TEST
5
QUESTION
30

À l'aide des indices, trouvez les trois mêmes lettres manquantes dans chaque mot pour former quatre mots de six lettres.

Attention : Les indices ne sont pas dans le bon ordre !

TEST
5
QUESTION
31

*** ÈRE	Indice : une forme de silice
C***EL	Indice : un vaisseau sanguin
QU***Z	Indice : partir
DÉP***	Indice : entente entre des compagnies

133

Placez les nombres de 1 à 5 dans les cercles de façon à ce que :

- La somme de 5, de 2 et de tous les nombres situés entre les deux soit de 14.

- La somme de 1, de 4 et de tous les nombres situés entre les deux soit de 7.

- La somme de 5, de 4 et de tous les nombres situés entre les deux soit de 12.

- La somme de 3, de 1 et de tous les nombres situés entre les deux soit de 10.

Lorsque vous pliez la figure ci-dessus, quel est le seul cube qui peut être produit?

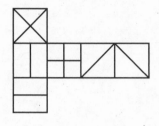

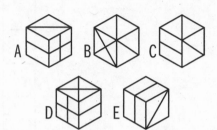

135

Quel nombre doit logiquement remplacer le point d'interrogation?

7	4	8	2
2	3	1	5
1	10	2	8
4	1	3	?

TEST 5 QUESTION 35

Insérez les lettres ci-dessous dans la grille pour former deux mots reliés par le sens.

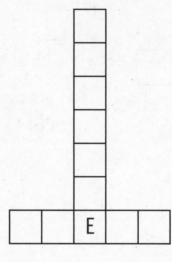

G M O M R F E A R C

136

TEST 5 QUESTION 36

Trouvez cette anagramme.

BAL VANTA TERME RUCHERA TELS OEUFS
est une anagramme d'une expression bien connue
de six mots de 6, 2, 7, 5, 3 et 6 lettres.

Dans la suite de chiffres ci-dessous, quelle est la différence entre la somme de tous les nombres pairs et la somme de tous les nombres impairs?

927531689547386

TEST 5 QUESTION 37

Quels sont les deux mots les plus reliés par le sens?

loyauté, naturalisme, nécessité, réalisme, timidité, nudité

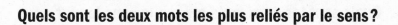

TEST 5 QUESTION 38

89556+976132-2678513+894651
122654+5782-89751

TEST 5 QUESTION 39

Quel nombre doit logiquement remplacer le point d'interrogation ?

100, 93,5, 89, 82,5, 78, ?

TEST 5 QUESTION 40

Quels sont les deux mots qui ont le sens le plus opposé ?

étrange, triste, sagace, dressé, borné, généreux

Quel est l'hexagone manquant?

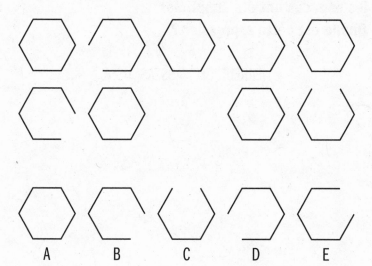

A   B   C   D   E

139

Voici une expression bien connue de la langue française. La première lettre de chaque mot et les espaces ont été supprimés.
Quelle est cette expression ?

IERREUIOULEMASSEASOUSSE

Laquelle de ces anagrammes n'est pas un pays européen ?

Régalèrent   La mélangé   Rechutai

Aumônier   Salutaire

Quel nombre est situé à deux places de lui-même multiplié (x) par 3, à trois places de lui-même plus (+) 3 et à trois places de lui-même moins (-) 3? Vous pouvez procéder horizontalement, verticalement ou en diagonale.

51	9	13	5	36
14	7	1	11	3
16	15	17	2	12
8	27	18	21	6
28	10	24	33	4

TEST 5
QUESTION 44

141

TEST 5
QUESTION 45

Quel est l'intrus?

soigné, assidu, appliqué, méticuleux, durable

TEST 5 QUESTION 46

Quelle phrase est écrite correctement?

    a) Elle rafole de son cour de dance.
    b) Elle raffole de son cour de dance.
    c) Elle raffole de son cour de danse.
    d) Elle rafole de son cours de danse.
    e) Elle raffole de son cours de danse.

142

TEST 5 QUESTION 47

Si une voiture avait accéléré sa vitesse de croisière de 10 mi/h pour parcourir 120 miles, elle aurait parcouru la distance désirée en une heure de moins. Quelle était la vitesse de croisière d'origine de la voiture lors de ce voyage?

Lequel des mots situés entre parenthèses possède le sens le plus opposé au mot inscrit en lettres majuscules?

CYNIQUE
(poli, crédule, caustique, réconfortant, sincère)

143

Quels sont les deux mots qui ont le sens le plus opposé?

imperméable, sec, visible, poreux, lourd, portatif

TEST 5
QUESTION 50

Si au cours d'une semaine de travail de 5 jours, une femme dépense 2,75 $ par jour pour prendre l'autobus et 2,55 $ par jour pour prendre le métro, combien d'argent économiserait-elle par semaine si elle achetait une carte hebdomadaire à 23,75 $ pour l'autobus et le métro?

TEST
6

89556+976132-2678513+894651

122654+5782-89751+95

**TEST
6
QUESTION
1**

146

**Lequel des mots entre parenthèses possède le sens
le plus opposé au mot inscrit en lettres majuscules ?**

POREUX

(imperceptible, impur, imperméable, impécunieux, irrespectueux)

**TEST
6
QUESTION
2**

  est à

est à

ce que :

A   B   C   D   E

Trouvez deux ensembles de trois chiffres consécutifs dans cette liste où le nombre formé par le premier groupe de trois chiffres est le quart du nombre formé par le deuxième groupe de trois chiffres.

6 2 8 4 9 7 7 2 4 8 1 9 3 6 5 7 2 5 1 8 1 6 2 4 7 9 6

147

Trouvez les deux synonymes de huit lettres en lisant l'un des cercles dans le sens des aiguilles d'une montre et en lisant l'autre cercle dans le sens contraire des aiguilles d'une montre. Vous devez trouver le point de départ et inscrire les lettres manquantes.

TEST
6
QUESTION
5

Quelle lettre doit logiquement remplacer le point d'interrogation?

Z   V   S   Q   ?   J   H

TEST
6
QUESTION
6

Quel est l'intrus?

supprimer, effacer, éliminer, badigeonner, éradiquer

Un seul des groupes de lettres ci-dessous peut être remis dans l'ordre pour former un mot de cinq lettres existant dans la langue française. Quel est ce mot?

AWNUC   DAJSI   URHNI

LRUIN   STIRL

Quel ensemble de nombres entretient la même relation que chacun des ensembles de nombres ci-dessous?

392 : 15   857 : 61   384 : 20

a) 726 : 19
b) 682 : 97
c) 486 : 34
d) 357 : 22
e) 985 : 53

149

Quel nombre est l'intrus?

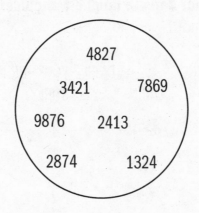

4827

3421   7869

9876   2413

2874   1324

150

Si 36829 est à 2592, et que 87352 est à 1680, et que 25938 est à 2160, alors 73824 est à?

Qu'est-ce qu'un shiitake?

      a) un temple
      b) un quartz laiteux ou grisâtre
      c) un type de champignon comestible
      d) un moine
      e) un ragoût

TEST 6 QUESTION 11

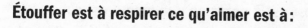

151

Étouffer est à respirer ce qu'aimer est à :

vivre, refouler, détester, cœur, sentir

TEST 6 QUESTION 12

89556+976132-2678513+894651
122654+5782-89751

Anthony est une fois et un tiers plus âgé que Roger,
tandis que Françoise est une fois et un tiers plus
âgée qu'Anthony. Si leurs âges combinés sont
de 148, quel est l'âge d'Anthony, de Roger et de
Françoise?

152

Post est à après ce que macro est à:
grand, petit, premier, dernier, précédent

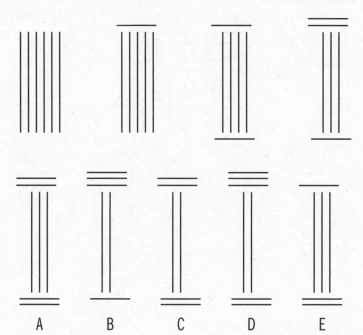

Quelle figure prolonge logiquement la série?

TEST
6
QUESTION
16

Quel nombre doit logiquement remplacer le point
d'interrogation?

7	5	12
10	?	23
3	8	11

154

TEST
6
QUESTION
17

Si 1 = PPUR veut dire un prêté pour un rendu,
que veut dire 2 = T valent MQ?

Lequel des mots entre parenthèses possède le sens le plus proche du mot inscrit en lettres majuscules?

ARRÊTER
(déplacer, entraver, interdiction, libéraliser, étouffer)

155

À minuit, ma montre indiquait la bonne heure, mais elle s'est ensuite mise à prendre 12 minutes de retard par heure avant de s'arrêter complètement il y a de cela 5 heures. Elle indique maintenant 5 h 36. Quelle heure est-il en réalité?

Quels sont les deux mots qui ont le sens le plus opposé?

hédoniste, artiste, indigent, ascétique, artisan, philanthrope

Quel mot de deux lettres peut être placé entre les parenthèses pour finir le mot de gauche et commencer celui de droite?

BAN   NIM

(_____)

SON   VIS

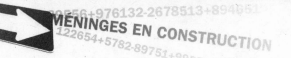

Lequel des mots entre parenthèses possède le sens le plus proche du mot inscrit en lettres majuscules?

MISANTHROPE
(presbytie, myopie, trompe, philanthrope, asocial)

TEST 6 QUESTION 22

157

Utilisez une fois chaque lettre formant la phrase LION URGEAIT PION VA OMETTRE POT pour trouver quatre instruments de musique.

TEST 6 QUESTION 23

TEST 6 QUESTION 24

Démêlez les lettres pour trouver un mot de dix lettres.

PTANORIOSB

TEST 6 QUESTION 25

Quel carreau complète correctement l'équation?

8	2	?	7	/	11	=	8	3	x	9

0	1	3	7	8
A	B	C	D	E

Quelle est la quatrième lettre à gauche de
la deuxième lettre à droite de la quatrième lettre
à droite de la lettre A?

A B C D E F G H

159

Quel nombre doit logiquement remplacer le point
d'interrogation?

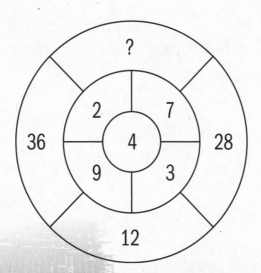

TEST
6
QUESTION
28

Quel nombre doit logiquement remplacer le point d'interrogation?

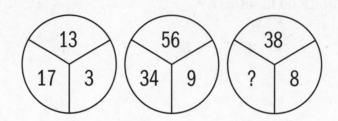

13
17   3

56
34   9

38
?   8

TEST
6
QUESTION
29

Lequel des mots entre parenthèses possède le sens le plus proche du mot inscrit en lettres majuscules?

SOUPAPE
(voiture, potage, linge, clapet, baie)

Complétez l'analogie suivante :

Scalène est à triangle ce que _____ est à quadrilatère.
(pentagone, diamètre, rhomboïde, angle, côté)

Trouvez cinq nombres consécutifs dont la somme est de 21.

3562458146394142 94342

TEST 6 QUESTION 32

CHINE est une anagramme de NICHE et CHIEN, deux mots reliés par le sens.

DAMÉE FOND FER est une anagramme de deux mots reliés par le sens.

Trouvez ces mots.

TEST 6 QUESTION 33

Si insecte dans une montagne (3 dans 7) est E(VER)EST, qu'est-ce qu'une pièce d'échiquier à basse température (3 dans 5)?

Que veut dire le mot contigu ?

a) déformé
b) aigu
c) parallèle
d) compliqué
e) adjacent

163

Résolvez l'anagramme inscrite entre les parenthèses pour compléter une citation de Friedrich Nietzsche.

Expérimenter, c'est (migraine).

TEST 6 QUESTION 36

Quels sont les deux nombres qui prolongent logiquement la série?

1, 1, 1, 5, 2, 5, 2, 4, 2, 5, 5, 5, 3, 7, 3, 5, ?, ?

TEST 6 QUESTION 37

Trois groupes de lettres ci-dessous peuvent être réunis pour former un mot de neuf lettres signifiant «sceptique». Trouvez ce mot.

ule   ant   ere   tan   red   rad   inc   bou   son   mis

Jean, Marc et Philippe investissent respectivement 25 000 $, 35 000 $ et 40 000 $ dans une entreprise et s'entendent pour partager les profits proportionnellement au capital investi. L'année dernière, ils ont fait un profit de 180 000 $.
Quelle somme a été remise à chacun d'eux?

TEST 6 QUESTION 38

165

Trouvez les deux synonymes de huit lettres en procédant dans le sens des aiguilles d'une montre. Chaque mot débute dans un cercle différent et utilise une lettre dans chaque cercle. Les lettres des deux mots se trouvent toutefois dans le bon ordre.

TEST 6 QUESTION 39

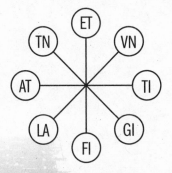

Quelle est la section manquante?

7	12	15	20	23
10	15	18	23	26
15	20	23	28	31
18	23	26	31	
23	28	31		

	34
39	36

A

	32
36	39

B

	34
36	39

C

	32
37	38

D

Insérez les mots de quatre lettres dans la grille ci-dessous afin de compléter correctement le mot croisé. Certaines lettres ont déjà été inscrites dans la grille pour vous aider.

BUEE	BOUT	OURS	FIER	GANT	UNIR	CHAT
GRUE	SURF	ZEST	TROU	ECHO	ETRE	AMER
ILOT	TUBE	TIPI	FEVE	PNEU	ECRU	EPEE
GARE	TROC	CINE	TUER	UNIR	JOIE	AUBE

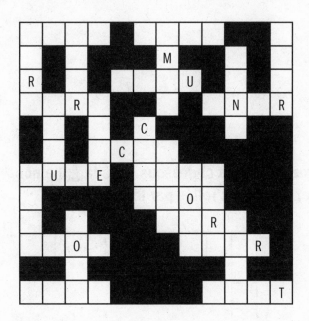

167

89556+976132-2678513+894651

122654+5782-89751

TEST 6 QUESTION 42

Laquelle de ces anagrammes n'est pas un sport olympique?

Cœurs
Annotait
Pagaient
Signala
Olive

168

TEST 6 QUESTION 43

Insérez les lettres ci-dessous dans la grille pour former deux mots reliés par le sens.

P						

EEEE   IINO   SSTV

Quel mot entre parenthèses continue logiquement la série ?

Amour, armée, aérosol, lavette
(année, lessive, tomate, réduire, émail)

TEST
6
QUESTION
44

169

Quelle est la section manquante ?

TEST
6
QUESTION
45

7	14	42	84
21	42	126	252
42	84	252	
126	252		

	504		498
756	1512	756	1524
	A		B

	504		498
758	1524	758	1512
	C		D

TEST 6 QUESTION 46

Quels nombres doivent logiquement remplacer les points d'interrogation?

1, 1, 2, 6, 6, 12, ?, ?, 72, 216

170

TEST 6 QUESTION 47

Quels sont les deux mots les plus reliés par le sens?

demande, commande, plainte, falsifiée, cause, requête

Quels sont les deux mots qui ont le sens le plus opposé?

décourager, tolérer, critiquer, dénoncer, limiter, analyser

Julie, Marie et Sarah veulent partager une somme d'argent entre elles. Julie reçoit 2/5, Marie reçoit 0,45 et Sarah reçoit 210,00 $.

Quelle somme ont-elles partagée?

TEST 6
QUESTION 50

172

Quel mois prolonge logiquement cette série?

Janvier, mars, juin, ?

a) août   b) septembre   c) octobre   d) novembre

**MÉNINGES
EN
CONSTRUCTION**

NOTES

176

MÉNINGES
EN
CONSTRUCTION

NOTES

178

MÉNINGES
EN
CONSTRUCTION

NOTES

180

MÉNINGES EN CONSTRUCTION

NOTES

**MÉNINGES
EN
CONSTRUCTION**

NOTES

184

MÉNINGES
EN
CONSTRUCTION

NOTES

186

**MÉNINGES
EN
CONSTRUCTION**

NOTES

188

MÉNINGES
EN
CONSTRUCTION

NOTES

190

MÉNINGES EN CONSTRUCTION

NOTES

MÉNINGES
EN
CONSTRUCTION

NOTES

194

MÉNINGES
EN
CONSTRUCTION

NOTES

MÉNINGES
EN
CONSTRUCTION

NOTES

198

MÉNINGES
EN
CONSTRUCTION

NOTES

200

MÉNINGES
EN
CONSTRUCTION

NOTES

MÉNINGES
EN
CONSTRUCTION

NOTES

204

**MÉNINGES
EN
CONSTRUCTION**

NOTES

206

207

_____

_____

_____

_____

_____

_____

_____

_____

_____

_____

_____

_____

_____

_____

_____

_____

_____

_____

_____

_____

MÉNINGES EN CONSTRUCTION

NOTES

MÉNINGES
EN
CONSTRUCTION

NOTES

210

212

MÉNINGES
EN
CONSTRUCTION

NOTES

MÉNINGES
EN
CONSTRUCTION

NOTES

214

MÉNINGES
EN
CONSTRUCTION

NOTES

MÉNINGES
EN
CONSTRUCTION

NOTES

218

MÉNINGES EN CONSTRUCTION

NOTES

NOTES

MÉNINGES
EN
CONSTRUCTION

NOTES

MÉNINGES EN CONSTRUCTION

NOTES

224

MÉNINGES
EN
CONSTRUCTION

NOTES

226

MÉNINGES EN CONSTRUCTION

NOTES

228

MÉNINGES
EN
CONSTRUCTION

NOTES

230

MÉNINGES
EN
CONSTRUCTION

NOTES

MÉNINGES
EN
CONSTRUCTION

NOTES

232

MÉNINGES EN CONSTRUCTION

NOTES

MÉNINGES
EN
CONSTRUCTION

NOTES

MÉNINGES
EN
CONSTRUCTION

NOTES

236

MÉNINGES
EN
CONSTRUCTION

NOTES

89556+976132-2678513+894651

122654+5782-89751

MÉNINGES
EN
CONSTRUCTION

NOTES

240

MÉNINGES
EN
CONSTRUCTION

NOTES

242

RÉPONSES
TEST 1

TEST 1

RÉPONSES

RÉPONSE 1

A

Les autres correspondent à la même figure inversée.

RÉPONSE 2

Proue et poupe

RÉPONSE 3

Main

68

Somme dans 12 ans = 96

4 x 12 = 48, par conséquent,

la somme actuelle est de 96 – 48 = 48.

Dans 5 ans, la somme de leurs âges sera

de 48 + 20 (4 x 5) = 68.

Tromperie, fourberie

Persister

89556+976132-2678513+89465
122654+5782-89751

TEST 1
RÉPONSES

RÉPONSE 7

4

$(5 + 7) \div (2 + 1) = 4$

RÉPONSE 8

C	H	A
N S A D O P
I S E
L I T
O OU ON E
T N A
E I U
L J E M E A
E M U

RÉPONSE 9

24 minutes

Midi (12 h) moins 24 minutes = 11 h 36

11 h 36 – 48 minutes = 10 h 48

10 h + 48 minutes (24 x 2) = 10 h 48

RÉPONSE 10

114

On doit additionner 5, 10, 15, 20, 25, 30

TEST 1
RÉPONSES

247

RÉPONSE 11

14	29	59

13	27	55

23	47	95

TEST 1
RÉPONSES

Jeudi

Chef

248

15 et 82
15 + 20 = 35
20 + 62 = 82

Marion

Fort Dodu Gros

249

5
178 + 297 = 475

89556+976132-2678513+8946
122654+5782-8975

TEST 1
RÉPONSES

Effort

Chaque mot contient deux lettres a, deux lettres b, deux lettres c et ainsi de suite.

Chevreuil

250

a) Un sursis ou un délai

TEST 1
RÉPONSES

Fade

7
29 + 48 = 77

10

108, 110

La suite suit la règle suivante : x 2 + 2

D

La première ligne suit la règle + 2,
la deuxième ligne suit la règle - 3,
la troisième ligne suit la règle + 4,
la quatrième ligne suit la règle – 5,
et la sixième ligne suit la règle + 6.

TEST 1
RÉPONSES

Rabattu

Carence

UTNLI
LUTIN

21

(29 + 15) – (11 + 12) = 21

c)

Il a beaucoup d'expérience et sait comment faire un budget.

Dictionnaire

20556+976132-2678513+894651
122654+5782-89751+995512256

TEST 1

RÉPONSES

RÉPONSE 32

Entraver
Soutenir

RÉPONSE 33

1900
(266 ÷ 14) x 100

255

RÉPONSE 34

PQSR

On doit sauter une lettre entre chaque groupe de quatre lettres, puis inverser les deux dernières lettres de chaque groupe de lettres.

TEST 1
RÉPONSES

RÉPONSE 35

Président

Les autres sont tous synonymes de principe.

RÉPONSE 36

Son

Maison, saison, sonnet, songer

RÉPONSE 37

Sucré et saler

RÉPONSE 38

11, 12, 13.

Dans le premier cercle, la somme des segments opposés
correspond à 11, dans le deuxième elle correspond à 12
et dans le troisième elle correspond à 13.

RÉPONSE 39

C

Le cercle noir descend chaque fois d'une place et le cercle avec
le point monte chaque fois d'une place.

RÉPONSE 40

4372

Dans le cas des autres nombres, la somme du premier
et du troisième chiffre est égale à la somme du deuxième
et du quatrième chiffre.

89556+976132-2678513+8946511

122654+5782-89751+

TEST 1

RÉPONSES

RÉPONSE 41

8

(19 + 5) ÷ 3 = 8 et (4 x 6) ÷ 3 = 8

RÉPONSE 42

Transgresser

RÉPONSE 43

B

RÉPONSE 44

Maladresse

Grêle et geler

16 minutes

Midi moins 16 minutes = 11 h 44

11 h 44 moins 40 minutes = 11 h 04

10 h plus 64 minutes (16 x 4) = 11 h 04

911

on doit tour à tour soustraire 19 et 16.

Citronnade

D

sociable

B

Les lignes sont transposées dans chaque pentagone
à partir des deux pentagones qui se trouvent directement
en dessous. Lorsque des lignes apparaissent dans la même
position dans ces deux pentagones, elles ne sont toutefois
pas transposées.

![RÉSULTATS]

44-50	Exceptionnel
38-43	Excellent
30-37	Très bon
26-29	Bon
21-25	Haute moyenne
16-20	Moyenne
10-15	Basse moyenne

RÉPONSES
TEST 2

1115

On doit additionner le premier et le troisième chiffre,
puis le deuxième et le quatrième chiffre du premier nombre
pour obtenir le deuxième.

Par exemple : 7 + 4 = 11 et 6 + 9 = 15, ce qui donne 1115.

Perfide

Fait

Il propose une certitude établie tandis que les autres présentent
des possibilités.

94

En parcourant chaque ligne de gauche à droite, on se rend compte que les chiffres 586217394 se répètent.

Érable
Lettre
Remise
Séance
Cépage
Gésier

TEST 2

RÉPONSES

Épurer

JKLM

On doit sauter une lettre entre chaque groupe de lettres et ajouter une lettre à chaque groupe de la série.

Maxime et adage

Remettre les pendules à l'heure

Ruse

Acte

23 minutes

Midi moins 23 minutes = 11 h 37

11 h 37 moins 5 minutes = 11 h 32

10 h plus 92 minutes (23 x 4) = 11 h 32

Sarcasme

148, 152, 157

On doit additionner le chiffre du milieu pour obtenir le prochain nombre dans la suite. (148 + 4 = 152 et 152 +5 = 157)

Poser un lapin

TEST 2

RÉPONSES

Exclure et impliquer

B

Chaque carré noir se déplace d'une rangée vers la gauche
et chaque carré contenant un point se déplace d'une rangée
vers le bas.

54

On doit additionner tour à tour 6 et 12.

Qui dort dîne

Mystérieux

Électrisant et ennuyeux

28

On doit chaque fois additionner 6,75.

Hypoténuse

Il s'agit d'une ligne dans un triangle tandis que les autres
sont des lignes dans un cercle.

TEST 2

RÉPONSES

RÉPONSE 25

14 et 10
Le chiffre du milieu équivaut à la somme des deux chiffres situés aux extrémités du rectangle adjacent.
Par exemple : 3 + 7 = 10 et 6 + 8 = 14.

RÉPONSE 26

Dogme
Sophisme
Éthique
Relativisme
Morale
Devoir

RÉPONSE 27

Conjuguer

Sandwich

Qui donne homme-sandwich et sandwich grillé.

2520

Draconien

TEST 2
RÉPONSES

Arracher
Extraire

D

Les figures suivent l'ordre suivant :
 et alternent entre grandes et petites.

RÉPONSE 33

B

J

On doit commencer par la lettre A, puis se déplacer
tous les deux segments en suivant cette série :
AbCdeFghiJklmnOpqrstUvwxyzaB, c'est-à-dire en laissant
passer une lettre, puis deux lettres, puis trois lettres
et ainsi de suite.

**Audacieux
Intrépide**

7 et 9
49 x 2 = 98 et
37 x 2 = 74

Lapin

Ce qui forme gala, flan, cape, anis et dent

C

Chaque ligne horizontale suit tour à tour la règle suivante :
+ 1, + 2, + 3, + 4, tandis que chaque colonne suit tour
à tour la règle suivante : + 5, + 6, + 7, + 8.

Passer du coq à l'âne

TEST 2
RÉPONSES

Symptôme

D

**Le point noir alterne entre les deux coins
en diagonale et le cercle blanc avance chaque fois
d'un coin dans le sens des aiguilles d'une montre.**

Complémentaire et différent

Dans 8 ans

Mon âge	L'âge de mon frère
16	4
18	6
24	12

0

Le nombre cube le moins élevé = 8 (8 x 8 = 64).

Le nombre carré le moins élevé = 4 (4 x 4 x 4 = 64).

Tangerine = Argentine

Les États sont Californie (écorniflai), Caroline (clonerai), Maine (animé) et Minnesota (entamions).

Lorsque Julie va au tableau pour résoudre l'**addition**, elle demande l'aide de ses camarades, car elle a **tendance** à faire des erreurs quand elle **résout** des équations.

Salutaire et bénéfique

TEST 2
RÉPONSES

RÉPONSE 49

C

RÉPONSE 50

Tacher

278

RÉSULTATS

44-50   Exceptionnel
38-43   Excellent
30-37   Très bon
26-29   Bon
21-25   Haute moyenne
16-20   Moyenne
10-15   Basse moyenne

RÉPONSES
TEST 3

D

D

Les lignes horizontales suivent la règle suivante : - 15, + 4, - 15,
et les lignes verticales suivent la règle suivante : + 4, - 15, + 4.

Aux bourdons

RÉPONSE 4

1

Dans chaque ligne, la somme du premier et
du troisième chiffre est égale au produit du deuxième
et du quatrième chiffre.

RÉPONSE 5

Éliminer

281

RÉPONSE 6

Potier

Jouer avec le feu

Le signe +

Dynamique
Tous les mots peuvent être accompagnés du préfixe aéro pour
former de nouveaux mots: aérotrain, aérodrome, aérophobie
et aérodynamique.

19

Pour obtenir les nombres situés dans les triangles supérieurs, on doit additionner les nombres pairs se trouvant dans les deux espaces adjacents, et pour obtenir les nombres situés dans les triangles inférieurs, on doit additionner les nombres impairs situés dans les deux espaces adjacents, c'est-à-dire 3 + 9 + 7 = 19.

Peinture

Décorer, orner, embellir

20

Tenir sa langue

Planchette

Fréquence

Défiant

Faire bonne figure

TEST 3
RÉPONSES

TEST 3

RÉPONSES

RÉPONSE 19

A	M	P	L	I	F	I	E	R
U								
G	R	O	S	S	I	R		
M								
E								
N								
T								
E								
R	A	L	L	O	N	G	E	R

RÉPONSE 20

Jeanne a 12 ans et Jean a 3 ans

Dans 6 ans, Jeanne aura 18 ans et Jean en aura 9.

Malvenu et opportuniste

TEST 3
RÉPONSES

d)

Il ne s'est pas réveillé ce matin lorsque son cadran a sonné.

38111
21 + 17 = 38 et 16 + 95 = 111

89556+976132-2678513+894651
122654+5782-89751

TEST 3

RÉPONSES

RÉPONSE 24

Cardinal

RÉPONSE 25

Le carré noir et le cercle se déplacent d'un coin dans le sens contraire des aiguilles d'une montre et alternent entre noir et blanc.

RÉPONSE 26

Amer, limonade

Donner un coup de main

18
$432 \div 6 \div 4$

Minotaure
Pour produire les mots nom, foi, gin, duo, but, ska, ému, pur et âge.

TEST 3 RÉPONSES

8 et 7
En procédant dans le sens des aiguilles d'une montre :
19 x 2 = 38 et 38 x 2 = 76

Éliminer
Expulser

Les Quatre Saisons de l'Année

Renard

RNREDA = renard

38

(4 + 6 + 9) x 2 = 38

Pain

Grille-pain et pain doré

TEST 3

RÉPONSES

RÉPONSE 36

Pois

Tous ces mots forment un nouveau mot lorsqu'on remplace la lettre finale par L : fier/fiel, mien/miel, baie/bail, gris/gril et pois/poil.

RÉPONSE 37

Jeter l'éponge

RÉPONSE 38

84 et 17

Il existe deux séries entrecroisées. En partant de 100, on doit soustraire 1, 3, 5, 7, et en partant de 1, on doit additionner 1, 3, 5, 7.

RÉPONSE 39

Pointilleux

Pointilleux veut dire minutieux, tandis que les autres sont synonymes de désinvolte.

RÉPONSE 40

6

6 x 4 = 24 et 4 + 24 = 28

293

RÉPONSE 41

Grave, menaçant

89556+976132-2678513+8946

122654+5782-89751

TEST 3

RÉPONSES

RÉPONSE 42

B

RÉPONSE 43

11 et 13

En commençant par le chiffre 1 en haut à gauche, on doit se
déplacer en diagonale de haut en bas en additionnant 4,
et en commençant pat le chiffre 20 en bas à droite, on doit
se déplacer de bas en haut en diagonale en soustrayant 3.

RÉPONSE 44

D

Le point extérieur se déplace d'un coin à la fois dans le sens des
aiguilles d'une montre et alterne de blanc à noir, tandis que le
point intérieur se déplace d'un coin à la fois dans le sens
contraire des aiguilles d'une montre et alterne de noir à blanc.

TEST 3
RÉPONSES

Envieux et indifférent

Ultérieur et subséquent

12
12 + 2 = 14
12 − 5 = 7

Enjoué et morose

1 heure et demie

40 mi/h pour 60 miles = 1 heure ½

60 mi/h pendant 1 heure = 90 miles

B

Les figures A et C sont les mêmes, mais les couleurs ont été inversées, tout comme les figures D et E.

44-50	Exceptionnel
38-43	Excellent
30-37	Très bon
26-29	Bon
21-25	Haute moyenne
16-20	Moyenne
10-15	Basse moyenne

RÉPONSES
TEST 4

TEST 4 RÉPONSES

RÉPONSE 1

2

Les figures sont inversées. Les autres suivent le même ordre.

RÉPONSE 2

6480

Tous les autres nombres suivent la règle suivante : - 3, + 2, - 4.

RÉPONSE 3

Stationnaire

TEST 4
RÉPONSES

RÉPONSE 4

F

RÉPONSE 5

26

RÉPONSE 6

Mousse

5286

Les autres nombres forment des paires puisque
la valeur du premier nombre équivaut à la moitié
de la valeur du deuxième nombre : 3928/7856,
4796/9592, 3854/7708.

Balle
Cerceau
Acrobate

Éphémère et bref

Extravagance

B

TEST 4

RÉPONSES

Standard et conforme

Aimer, c'est la moitié de croire

Péninsule

9
(3 x 12) ÷ 4 = 9

La lettre R
Ramer, front, aider, zoner, rabat, brave

d)
785 : 61 (7 x 8) + 5

TEST 4
RÉPONSES

RÉPONSE 18

Créancier

RÉPONSE 19

Prompt et preste

RÉPONSE 20

14

Dictionnaire

Dictionnaire est une anagramme de : idiot, incarné.
Aumônier est une anagramme de main, roue.

Lire entre les lignes

B

Chaque rangée et chaque colonne contiennent une fois
les nombres 1, 2, 3, 4, 5.

TEST 4

RÉPONSES

RÉPONSE 24

Sérieux

RÉPONSE 25

54
(6 x 9 = 54) 54 - 9 = 45

RÉPONSE 26

5845
52 + 6 = 58 et 7 + 38 = 45

TEST 4
RÉPONSES

Frugal et vorace

Inonder

28794

Les nombres 3287946 sont répétés dans le même ordre.

SIARD = RADIS

d)

76
On ajoute chaque fois 19.

RÉPONSE 33

E

Lorsqu'un cercle d'une même couleur apparaît deux fois dans la même position à l'intérieur des trois premiers rectangles, ce cercle est transposé dans la dernière figure.

TEST 4

RÉPONSES

RÉPONSE 34

Évaser, agrandir

309

RÉPONSE 35

Massif et minime

TEST 4
RÉPONSES

RÉPONSE 36

Faire cavalier seul

RÉPONSE 37

Deux versions d'une même histoire.

RÉPONSE 38

ST
ABc**DE**fg**HI**jkl**MN**opqr**ST**

310

RÉPONSE 39

$\frac{3}{8}$

RÉPONSE 40

3,25
On doit additionner 0,25, 0,50, 0,75, 1, 1,25, 1,50

RÉPONSE 41

Faire cavalier seul

311

TEST 4 RÉPONSES

312

Flamant rose

Faire marche arrière

70

On doit multiplier chaque fois par trois la quantité ajoutée : 1,5, 4,5, 13,5, 40,5, 121,5.

b) 2988 : 1017

2 + 8 = 10 et 9 + 8 = 17

Élever

Marque, calque, unique et vasque

On ajoute QU.

33,9

97,2 et 32,4 doivent être connectés ensemble, l'intrus étant donc 33,9. Chaque paire de nombres suit le ratio 1 : 3.

TEST 4
RÉPONSES

Anthropologue

Rafraîchissant et torride

44-50 Exceptionnel

38-43 Excellent

30-37 Très bon

26-29 Bon

21-25 Haute moyenne

16-20 Moyenne

10-15 Basse moyenne

RÉPONSES
TEST 5

2183

On doit inverser le nombre précédent, et additionner les deux premiers chiffres.

Fastidieux

Nature

TEST 5
RÉPONSES

RÉPONSE 4

ENILAF = finale

RÉPONSE 5

515

On doit soustraire 97 chaque fois.

RÉPONSE 6

Charmant, choquant

MÉNINGES EN CONSTRUCTION

TEST 5
RÉPONSES

RÉPONSE 7

Descendance et lignée

RÉPONSE 8

Pétales

RÉPONSE 9

VII, IV, II, XI

TEST 5
RÉPONSES

RÉPONSE 10

Excellent

Excellent veut dire exceptionnel, tandis que les autres mots sont synonymes de divin.

RÉPONSE 11

A

RÉPONSE 12

T

Les lettres opposées se trouvent à la même distance du début et de la fin de l'alphabet.

319

Pierre

User pour obtenir

U	S	E	R
S	I	L	O
E	L	A	N
R	O	N	D

C

Les lignes horizontales suivent la règle suivant : + 1, + 2, + 1,
tandis que les lignes verticales suivent la règle
suivante : + 2, + 1, + 2.

REPONSE 16

859, 189

Il existe deux séries entrecroisées. On doit additionner (+) 47 et en partant de 1, et on doit soustraire (-) 47 en partant de 1000.

RÉPONSE 17

Recherche

RÉPONSE 18

AC pour former vrac et acné.
GE pour forme gage et gens.
DE pour former onde et dent.
VE pour former bave et vers.

TEST 5

RÉPONSES

RÉPONSE 19

Dérive
La lettre manquante est le « v ».

RÉPONSE 20

238674
On doit inverser le nombre précédent à l'exception des deux derniers chiffres.

RÉPONSE 21

Disque
Disque pour former tourne-disque et disque compact.

Efficace, inutile

B

4G pour former le mot ÉNIGME

1 2 3 4 5 6
E N I G M E

323

TEST 5
RÉPONSES

RÉPONSE 25

123978

A B C D E F
3 4 2 9 6 1
9 4 1 2 3 6
A B C D E F
7 2 9 1 8 3
1 2 3 9 7 8

RÉPONSE 26

L'amour est fini quand il n'est plus possible de revenir en arrière.

RÉPONSE 27

Mettre cartes sur table.

S

Il faut commencer au centre et tourner dans le sens des aiguilles d'une montre pour épeler TROIS, DOUZE et SEIZE.

C

Les lignes horizontales suivent la règle suivante : - 2, + 1, - 2, alors que les lignes verticales suivent la règle : + 2, - 1, + 2.

Pas de fumée sans feu.

325

TEST 5

RÉPONSES

RÉPONSE 31

Art

Art = artère, cartel, quartz, départ.

RÉPONSE 32

53421 ou 12435

RÉPONSE 33

B

3

Chaque bloc de 4 chiffres est égal à 16.

RÉPONSE 35

F
R
O
M
A
G

C	R	E	M	E

Mettre la charrue avant les bœufs.

15

Naturalisme, réalisme

RÉPONSE 39

71,5

On doit tour à tour soustraire 6,5 et 4,5.

RÉPONSE 40

Sagace, borné

RÉPONSE 41

E

En commençant par l'extrémité gauche de la première rangée et en procédant de gauche à droite le long de la première rangée, puis de droite à gauche le long de la deuxième rangée, on s'aperçoit qu'un hexagone sur deux possède un côté manquant dans le sens des aiguilles d'une montre.

Pierre qui roule n'amasse pas mousse.

Salutaire

Salutaire : Australie.

Les pays d'Europe sont : Angleterre (régalèrent), Allemagne (la mélangé), Autriche (rechutai) et Roumanie (aumônier).

RÉPONSE 45

Durable

Durable se réfère à une longue durée de vie, tandis que les autres sont synonymes de méticuleux.

RÉPONSE 46

e)

Elle raffole de son cours de danse.

RÉPONSE 47

30 mi/h

$120 \div 30 = 4$ heures

$120 \div 40 = 3$ heures

RÉPONSE 48

Crédule

Imperméable, poreux

Elle dépense actuellement 26,50 $ par semaine.
(2,75 + 2,55 par jour). Elle économiserait donc 2,75 $
(26,50 $ – 23,75 $).

44-50	Exceptionnel
38-43	Excellent
30-37	Très bon
26-29	Bon
21-25	Haute moyenne
16-20	Moyenne
10-15	Basse moyenne

RÉPONSES
TEST 6

TEST 6
RÉPONSES

334

RÉPONSE 1

Imperméable

RÉPONSE 2

C

Les carrés noirs se déplacent d'une place vers la droite et
le point noir se déplace d'un carré vers le haut.

RÉPONSE 3

724 - 181

TEST 6
RÉPONSES

335

RÉPONSE 4

Amadouer, dorloter

RÉPONSE 5

M

ZyxwVutSrQponMlkJiH

RÉPONSE 6

Badigeonner

TEST 6
RÉPONSES

RÉPONSE 7

DAJSI = jadis

RÉPONSE 8

d) 985 : 53
(9 x 5) + 8 + 53

RÉPONSE 9

1324
Les nombres forment des paires ABCD/CBDA. 1324 devrait
donc être jumelé avec 2341, mais ce n'est pas le cas.

1344

7 x 9 x 8 x 2 x 4

TEST 6

RÉPONSES

337

c)

Détester

RÉPONSE 13

Françoise a 64 ans, Anthony a 48 et Roger a 36 ans.

RÉPONSE 14

Grand

RÉPONSE 15

C

On doit réduire le nombre de lignes verticales de 1 à chaque étape et on doit augmenter le nombre de lignes horizontales de 1 à chaque étape en alternant de haut en bas.

13

Dans chaque rangée verticale, le nombre du milieu correspond à la somme du premier et du dernier nombre, et dans chaque rangée horizontale, la somme des deux premiers nombres correspond au troisième.

Deux têtes valent mieux qu'une.

Entraver

Il est midi.

Minuit : Minuit
1 h : 12 h 48
2 h : 1 h 36
3 h : 2 h 24
4 h : 3 h 12
5 h : 4 h
6 h : 4 h 48
7 h : 5 h 36
+ 5 heures = midi

Ascétique et hédoniste

TEST 6
RÉPONSES

341

RÉPONSE 21

DE

Sonde, bande, denim, devis.

RÉPONSE 22

Asocial

RÉPONSE 23

Trompette, piano, violon, guitare.

342

Absorption

B

C

8

En procédant dans le sens des aiguilles d'une montre :
$4 \times 2 = 8$; $4 \times 7 = 28$; $4 \times 3 = 12$; $4 \times 9 = 36$.

TEST 6
RÉPONSES

343

42

$42 = 38 + 42 = 80$ et $80 \div 10 = 8$, de même que $13 + 17 = 30$
et $30 \div 10 = 3$

Clapet

TEST 6
RÉPONSES

344

Rhomboïde

39414

Offre et demande

RÉPONSE 33

Roi : f(roi)d

RÉPONSE 34

e)

RÉPONSE 35

Expérimenter, c'est imaginer.

345

8,5 et 4

Il existe deux séries entrecroisées. On doit additionner (+) 0,5 et en partant du premier 1, et on doit additionner (+) 1,5 en partant du deuxième 1.

Incrédule

25 + 35 + 40 = 100

Par conséquent :

Jean : 25 % x 180 000 = 45 000

Marc : 35 % x 180 000 = 63 000

Philippe : 40 % x 180 000 = 72 000

45 000 + 63 000 + 72 000 = 180 000 $

TEST 6

RÉPONSES

RÉPONSE 39

Attentif et vigilant

RÉPONSE 40

C

Les lignes horizontales suivent la règle suivante : + 5, + 3, tandis que les lignes verticales suivent la règle : + 3, + 5.

RÉPONSE 41

G	R	U	E		G	A	N	T			F
A		N			M			C		I
R		I		P	N	E	U		I		E
E	T	R	E			R		U	N	I	R
		R	O		P	C		E			
		O		E	C	H	O				
T	U	B	E		A	U	B	E			
I				T	R	O	C				
P		J			S	U	R	F			
I	L	O	T			T	U	E	R		
		I						V			
B	U	E	E				Z	E	S	T	

TEST 6

RÉPONSES

RÉPONSE 42

Signala = anglais

Les sports sont : course (cœurs), natation (annotait), patinage (pagaient) et voile (olive).

RÉPONSE 43

P	O	S	I	T	I	V	E
E							
N							
S							
E							
E							

RÉPONSE 44

Lessive

Chaque mot commence avec la première lettre et la dernière lettre du mot précédent.

A

Les lignes horizontales suivent la règle suivante:
x 2, x 3, x 2, tandis que les lignes verticales suivent
la règle suivante: x 3, x 2, x 3.

36, 36

On doit répéter la règle suivante : x 1, x 2, x 3.

Demande, requête

Tolérer, dénoncer

TEST 6

RÉPONSES

350

RÉPONSE 49

1400

Julie : 560,00 $

Marie : 630,00 $

Sarah : 210,00 $

RÉPONSE 50

c)

Octobre : on doit sauter un mois, puis deux mois, puis trois mois.

RÉSULTATS

44-50	Exceptionnel
38-43	Excellent
30-37	Très bon
26-29	Bon
21-25	Haute moyenne
16-20	Moyenne
10-15	Basse moyenne

L'utilisation de 3 876 lb de Rolland Enviro100 Print plutôt
que du papier vierge réduit votre empreinte écologique de :

Arbre(s): 33
Déchets solides : 950 kg
Eau : 89 830 L
Matières en suspension dans l'eau : 6,0 kg
Émissions atmosphériques : 2 085 kg
Gaz naturel : 136 m³

Imprimé sur Rolland Enviro100, contenant
100% de fibres recyclées postconsommation,
certifié Éco-Logo, Procédé sans chlore, FSC
Recyclé et fabriqué à partir d'énergie biogaz.